살아지는 기억

살아지는 기억

지은이   정용호

발 행   2024년 1월 4일
펴낸이   한건희
펴낸곳   주식회사 부크크
출판사등록   2014.07.15.(제2014-16호)
주 소   서울특별시 금천구 가산디지털1로 119 SK트윈타워 A동 305호
전 화   1670-8316
이메일   info@bookk.co.kr

ISBN   979-11-410-6431-0

www.bookk.co.kr

살아지는 기억

정용호

BOOKK✎

시인의 말

길을 걷는 순간마다 나를 만난다
언제나 다른 모습으로 말을 걸어오는 나
그런 나를 외면하지 않는 한 나는 언제나 시인일 것이다

차례

시인의 말

살아지는 기억[사라지는 기억]

꽃잎 이슬 프다

오래 봐야 예쁘다고 너도 그렇다고
자세히 들여다 봐주는 일이 그리 감동적일까

자세히 봐야만 예쁘고 사랑스럽다면 사랑이라 부르지 않으리

사고(事故)처럼 다가오길 바랐기에
사고(思考)로 얻은 답일지도 모르기에

끝까지 가는 대신 내리고 싶을 때가 있어

이제 그만 내리고 싶을 때 누를 수 있는 단추가 있어
그런데 그거 아니?
눌렀는데도 안 멈추는 수가 있다는 걸
참았던 울음을 터뜨려야 비로소 내릴 수 있다는 걸
씩씩거리며 내려야만 비로소 씩씩하게 보인다는 걸

삶아도 지워지지 않을 삶

처음처럼 깨끗한 얼굴을 원했겠지만
찌들어 버렸습니다

아기처럼 맑게 웃고 힘차게 우는 대신
억지웃음과 삼킨 울음만이
내 얼굴에 가득합니다

민들레 씨 듦

꽃잎이 시듦이
새 희망의 씨앗임을
죽음이야말로
새 생명의 씨앗임을

건널목에 선 나는

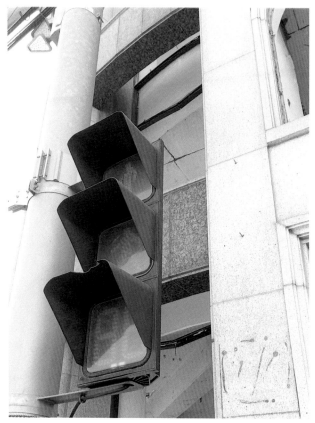

도전정신이 없는 게 아니에요
경쟁심이 없는 것도 아니에요
저마다 초록불을 마주하는 순간이
다르다는 걸 아니까, 여기,
여유 있게 서 있는 거예요

타이밍(他以明)

저마다 하늘을 향한 솟대다
혹, 불이 없는 촛불일지도 모른다만
작은 버섯조차 땅을 꿈꾸지는 않으리라

서로 다른 꿈을 향해 내달리는데
밝은 빛이 이 공간, 가득 채운다

개미집은 부동산이 아니지

누구나 알만한 집을 가지겠다는 욕심이
잘 보이지 않아 짓밟힐 집조차 열심히 짓는
이토록 숭고한 미련 앞에 부끄럽구나

집을 지어 돈 버는 일 따위 관심 없이
부지런히 생의 의무를 다하는구나

어두운 복도에서

한 발짝, 한 발짝
정확히 걸을 수가 없었어
어두워도, 앞에 날 막을 건
아무것도 없다는 걸 분명,
알고 있었는데도 말이야

살아지는 기억

갈피를 못 잡고 살다가

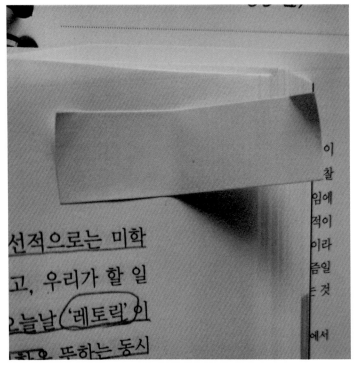

잊지 않고 찾아오겠다던 약속
문득, 생각나 찾은
넌, 변해 있었어 한동안
나누지 못한 마음 탓일까 어딘가
희미해진 낯빛.

반드시 지고 마는 삶

지지 않은 자만 기억하는 세상이야
졌다는 사실이 꼭 졌다는 걸
말하지는 않는데

네가 지지 않아서 지고 말았다는 걸
나는 알고 있는데

살아지는 기억

버려진 삽은 살풍경이 아니었네

바다를 퍼내려 호기롭게 뛰어들었나
마침내 떠 오는 버려진 삽 하나
어촌계 안내문은 아랑곳없이 고둥 줍던 무리
한 사내가 집어 들어 뭍으로 던져버리더니
돌 틈을 헤집으며 느릿느릿 걸어간다

놓치고 만 우산

무거운 비 세찬 바람에도
놓치지 않으리라 부여잡았을 그가
어쩌다 너를 엊저녁엔 놓쳤는지

돌아오지 않을 그
쓸쓸히 버려질 안타까운 손길

꽃과 열매가 없더라도

꽃이 피지 못하니
열매가 열지 못하지

그래도

잎만 무성한 콩 나무는
꿈을 향해 자라고 있음을

오리다

신고 오리다
떼지어 오리다
오리라 꿈꾸던 것
하나도 빠짐없이
신고 오리다

비에 젖은 라이터

하필이면 벽돌 위.
비를 맞아도
불꽃을 피우지 못하는
서글픈 씨앗

바람맞은 거야

다른 것들은 서 있는데 하필 너는.

그가 몇 초만 더 세심했더라면
도도한 척 섰을지도 모를 일.

급하게 달아나는 모든 바람은
무언가를 넘어뜨리고 마는 걸까

꽃 한 등이

오랜만에 핀 이야기 꽃
향기에 취해 올려다본
천장에 핀 환한 꽃 한 등이
어두운 밤을 밝힌다
어두운 맘을 밝힌다

그네

흔들리는 내 자리를
붙들어 주네
아니면
단단히 붙들어
내 자리를 흔드네

떨리는 순간

왜
만남의 순간은
언제나
떨림으로
다가오는지

기어코 남긴 발자국

밟지 말라고 했어도
기어코
밟을 수밖에 없었던 건
기억되고
싶었기 때문일 거야

신

계단으로 올라갔을까
문을 열고 들어갔을까
승강기를 탔을까

벗겨진 신이 애타게 찾는다
자신을 데리러 올 신데렐라를

하우스(how's)

벽에 거꾸로 매달린 걸까?
바닥에 누워 있는 걸까?

그게 아니야
정수리만 보면 누군지 모르니까
까꿍, 얼굴을 보여준 거야

백설기(白雪記)

쓸쓸한 풍경이라고만 생각했는데
네모난 해가 비추고 있다

언제나 그랬을 텐데 이제야 봤구나
서운한 마음도 없는지
하얗게 담담히 비추는구나

그들의 1분

신호에 맞춰 왼발만 내디디면 되는 곳
그들이 떠나간 자리에
옹기종기 버려진 1분들
할 수만 있다면 찾아주고픈
잃어버린 그들의 1분들

살아지는 기억

낙엽

樂~ 樂~
귀갓길
knock, knock
닿을 듯
낙엽

손

어쩌려고
어쩌다가
잡은 네 손
어차피
놓칠 네 손

서울역에서

Go, man
이제 그만
ごめん,
이제 그만
go, man.

돌아가는 길

돌아, 가라
뭐?
돌아가라고?

겨울, 길 고양

무얼 찾는 고양
겨울은 길 고양
그래도 봄이 오면
반가운 나비
날아올 고양

불이(不二)

단풍잎이
말랐다

노란 꽃이
폈다

동백(冬白)

겨울 낮 감은 눈 가운데
홀로 깨어 있구나

먼저 깨어 일찍 지면
어쩐지 슬플 듯한데
홀로 웃고 있구나

싹

빈틈없는 삶에서는
볼 수 없을 거야
작은 균열, 그 부족함 비집고
행복과 희망이
싹을 틔우는 거니까

이끼로 핀 마음

빗물이 흘렀던 자리였을까
이슬이 맺혔던 자리였을까
뿌리내리지 못한 사랑
애처롭게 부여잡은 벼랑 끝 마음

나라고 주름이 없으려고

나라고 주름이 없으려고
날 올려다볼 때마다
내 얼굴도 너처럼,
매일 다른 표정이라는 걸
알아줬으면 해

발에 밟힌

아차! 동전인 줄 알았네
추락한 게 아니라
추억이구나
박힌 채 밟히기만 하는
추억이구나

가지런히 벗어놓고

가지런히 벗어놓고
가지,
RUN!
He, 돌아올까
모르지 언제 올는지

응시 자격

어쩌다 마주친 눈빛조차
죄스러운 거리에서
의심 가득한 너의
눈빛이
좋아

잃어버린 우산을 다시 찾기는 힘들지

줄지어 걷던 사람들
놓고 간 우산들
비가 또 오더라도
놓쳐 버린 우산은
다시 들지 못하리

망설임

입구일까 출구일까 누구를 기다리나
어젯밤, 헤어진 그이려나
어딘가 있을 새 인연이려나
오늘 밤, 네가 없다면 어디로 갔으려나
입구일까 출구일까 어디로 갔으려나

사랑해 버린 사탕

가로등 불빛 비치는
돌담 위
누군가 놓고 간 사탕
어쩌면
누군가 잊고 간 사랑

고양이 고향이

길일까
집일까
고양이
고향이
궁금해

나뭇잎의 꿈

언젠간
줄기차게
언젠간
여러 가지

하늘을 걷는 벌레

단단한 아침 하늘
무당벌레 한 마리 지나간다
지금 햇볕 내리쬐는 오후
잔디밭 어딘가를 지나려나
금세 찾아올 여름, 깊은 잠을 쫓으며

파리의 하늘

파리의 하늘도
어쩔 수 없군요
망 치니 원망스럽지만
어쩔 수 없군요
파리의 하늘도

살아지는 기억

살만합니다

화분은 과분
바람 타고 떠돌더니
폐지와 폐타이어
출세 아니겠니
이만하면 충분

행복은 가깝고 가득해

행운 좇을 마음조차
사라질 만큼
행복은 가깝고 가득해
이 순간 드디어 마주한
행운

야옹아 미안

야! 찰-칵
옹?
아차,
미안해
안심하고 쉬렴

숨 하나

힘차게 후우~
아쉬워서 에효…
텅 빈 하늘
누가 날려 보낸
숨 하나

엄지공주에게

다만,
반가운 마음에
내팽개치고 달려갔기를

나는 나비

애도 아는데
나인 줄 몰랐을까
알았다 해도
날아갈 줄 알았을까

나는 언제나 나는 줄만 알았을까

여름 바다 하늘거려

고개 뒤로 젖히자
아직 젖은 듯한
하늘이
바다처럼
부표를 띄우고

검은(고양이+집)

뭘 보냥

모두가 나가는 시간에
네 집인지 뉘 집인지 모를
꼭 네 집 같은 집
밖에서 너도 쉬네

어떻게 틈만 나면

틈만 나면 싹이 나
틈만 나면 희망 차
틈만 나면 자라나
틈만 나면 놀라워
틈만 나면 벅찬 행복

새로 난 새로움

빗줄기 따라
흐르듯
줄기를 따라
흐르는
푸-르-름

꺾여도 뽑히지 않은

꺾였는지
꺾었는지
그래도
여전히
그 자리에

버섯이 버젓이

여기는
앉으라고 말하는 곳입니다
그렇다고
안 자라는 곳은 아닙니다

너무 늦은 안부

안녕이라는 인사가 너무 늦었네
아직 두 다리 튼튼히 설 수 있는데
네게 앉는 사람 줄어든 게
네 탓도 아닌데
안녕이라는 인사가 너무 이르네

미련과 후련

붙들려고 했을까
놓으려 했을까

헌식(献食)

정갈하게 버린 것인지
버린척하는 정성인지

넋 놓고 바라본다

이승과 저승을
말아쥔 김밥을

물그릇에 띄워둔 마음

들이키지 않는 줄 알면서도
급히 마시면 체할까
띄웠다는 거짓말
그렇게라도 가까이
다가가려던 마음 하나

다 타고 남은 자리

후두두두둑
떨어뜨리고 가버렸네
다 타고 남은 것들
여름철
노란 낙엽들

이래 봬도 집이 있어서

걱정하는 아들에게
괜찮다고 했지
누구나 집이 필요하지만
똑같은 집이어야 하는 건
아니라면서 말이야

열매가 있을 곳

꼭
맺음일 필요는 없겠지
넌 씨앗을 품었으니까
닫힌 문 열어젖히는
매직이니까

벌레당! 발라당!

벌레가
땅 위에
발라당!
하늘에서
떨어졌니?

그렇구나

우리가 의지하던
의자도
서로를 의지하고
있었구나

모든 팔월 십오 일을 위하여

삐딱하고 싶었다기보다
똑바로 설 수 없었음을 잊지 말라

삐딱하게 보이더라도
ALL—곧게 기억하라

사십오 년 이전의 팔월 십오 일들을

살아지는 기억

버려지는 이유

너는 진짜 너를 보여주지 않고
너머를 보여주면서
넘어갈 수는 없게 하지
그래서 필요하고
그래서 버려지는 거야

끝내 패배하더라도

수 있다면
그럴 수 있도록
결국
그러하리라.

관점의 차이

파리인데?
PARTY구나!
더러운데?
THE LOVE구나!

달걀 가지

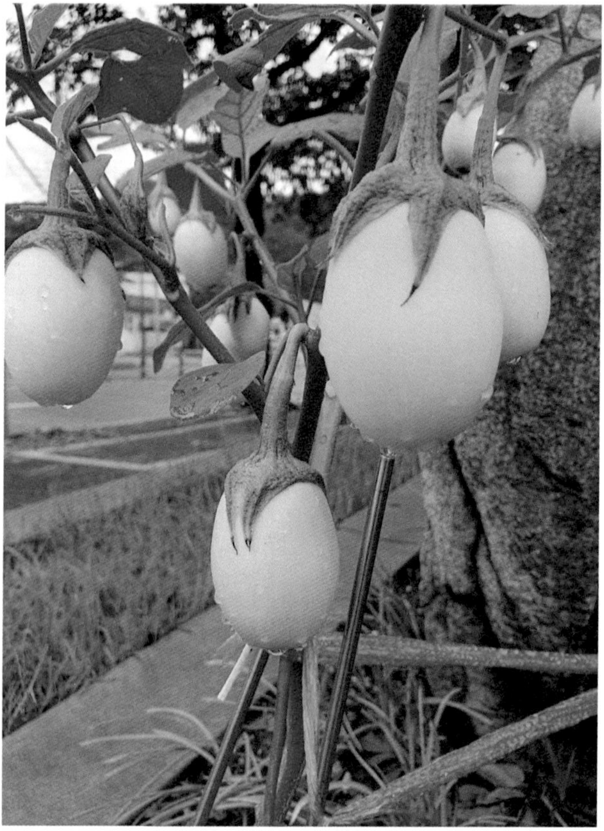

달걀같이
달걀 같지
달구는 못 낳을
노란 달걀까지

날개

날개가 낱개라면
날개가 아닐 거야

지금 넌 어디쯤 갔니

날개가 낱개라면
낮게도 못 날 텐데

무제(無制)

거기 두었던 욕심
거두어 둡니다

영원히 머묾은 없으니
원하는 만큼
머물다 가십시오

업힘(Up him)

쉴 새 없이 업고 싣고 다니더니
업혀서 갈 때도 있구나
하기는
매번 괜찮다고 하지만
정말 괜찮기만 했겠니

모두 나무라지만

아무도 모르게
흘러나오는
자신도 모르게
타고 오르는
푸릇한 사랑

내 것 아닌 내 것

마시지 않으면
무슨 맛이지

마시지 않아서
망가지지 않는 너

바로 그 맛이지

굳이 오시겠다면

무릎 꿇고 기어 오세요
허리 굽혀 들어오세요

누구든 진심으로 오실
분들만을 위한
제 마음 문이니까요

얼굴

잠깐만
나 봐요

어때 보여요

잠깐
만나 봐요

제멋대로 멋있지

꼭
똑바로만
설 필요도 없지
어떻든 나는
나인걸

기다림

오늘은 피곤해서 좀 누웠습니다
눈은 말똥말똥하지만요 ㅁ:
그래도 차가운 당신 밥은
데워드릴 수 있어요
그게 제 허전함 채우는 행복인걸요

모든 게 내 세상 것인데

저 구름도
내가 선 이 땅에서
태어난 것일 텐데
나는 왜 화창한 하늘만
꿈꿀까

꽃

비 내리자
거품 꽃 피었다
떨어지면서 핀 꽃
아무도 꺾지 않을 꽃
그래도 꽃

(알 수 없음)

들어온 것도
들어오지 않은 것도
아닌
들어왔지만
들어오지 않은

살아지는 기억

쥐쥐(GG)

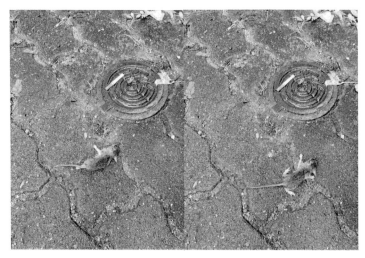

놀랐, 쥐
죽은 줄 알았, 쥐

살았쥐~롱
놀랐, 쥐?
GG

비ON다

구름 낀
하늘에
전등을
켜 둔다

첫니별

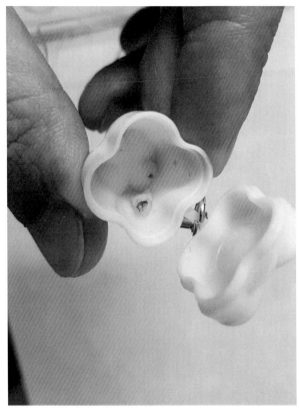

네 것을 처음 떠나보냈구나
슬프지는 않았니
아프지는 않았니
헌 이가 가면 새 이가 오는 것
너도 배우는구나

민들레야

봄만이 아니야
맞아 시월도
그래 가을도
아니 언제나
너의 계절이야

한 손 고양이

우연히 잡았다
겁에 질려서? 하얀
아무것도 먹지 못해? 하얀

내려놓고 되돌아오니
사라져 버린 하얀 고양이

멈칫 흠칫 맴찟

가까이 가려는 내 욕심에
칫, 재빨리 달아나는 너를 향해
　　냐아옹— (멈칫)
　　냐옹, 냐아옹— (흠칫)
여기서나마 마주할 수 있어 좋아

Jonathan' living's turn

날갯짓 멈추고 내려앉았다
놀라서 날지는 않을 거다
날고 싶을 때 날 거다
날갯짓이 멈춘 이 자리가
날기 시작할 곳이다

행운(行雲)

수직으로 날아올랐구나
어쩌면 떨어진 걸까
상관없어
저 흔적은 높은 곳을 향한 네
고결한 도전을 말하니까

짝다리

내가 걱정되는 건가요
내가 짊어진 것 때문인가요
생각해 보세요
내가 삐딱하기 때문일까요
내가 짊어진 것 때문일까요

그 아이의 보물

반갑게 인사하며 지나가는 아이들 틈으로
누군가 불쑥 주머니 속 보물을 건네고 간다
내 고마워요에 무심한 표정 고개만 끄덕
바삐 이동하는 아이들 틈으로 사라진다
이번에도 나는 깨치러 왔다가 깨닫고 간다

죽기 살기 등등

같은 목적의 기다림
서로 다른 기다림이
공기가 팽팽하게 만든다
살기 위한 살기가 서늘하다

불편해서 좋은

위태롭다고 말할 수 있을까
부족하다거나 풍족하다고 말할 수
불안하다거나 편안하다고 말할 수 없는
어쩌다 마주한 균형
오래도록 붙들고 싶은 불편(不偏)

행복은 언제나 발아래

드나드는 사람들
앞만 보고 오가데
발아래 구석에서
그들 향해 빤히
웃고 있는데

날 수 없는 이를 위한 활주로

활주로 한가운데서
망설이고 있더라
날아가기 위해서는
한-참 기어야 하는 기구(崎嶇)

너와 나의 귀로

네가 남긴 자취—
하염없이 바라보다
뒤따르고 싶어도
날개도 지느러미도 없어
하릴없이 돌아온다

이웃의 달콤함을 탐하지 말라

잠깐의 입맞춤조차
나누지 못한 채로
우두망찰 서 있는 너를
감히 탐할 수 없어
우두커니 바라보는 나

찼을까 찾을까

발로 찼으려나
손으로 던졌으려나
내려올 수 있을까나
아니 그보다
누가 찾긴 하려나

늦잠의 이유

한심한 듯 말하지 마세요
팔자 좋게 늦잠 잔다고 마세요

차가운 밤공기에
하루 내내 데운 신발 식히며
이제 겨우 기운 차린걸요

갈수록 가는

오른쪽에서 왼쪽,
길게 그은 선—

힘이 빠진 거야, 아니
멀어진 거야 멀리 간 거야
갈수록 가는 거야

노을 져 헤엄쳐

금붕어일까 잉어일까
아파트 건물 사이로
조용히 헤엄쳐 가는 너희
사라질 즈음,
어둠이 포근하다

살아지는 기억

눈물은 불을 머금어

울 준비가 된 듯한 구름 뒤에
밝고 붉은 해가 있듯이

차갑게 식은 사랑에도
돌이킬 수 없는 희망에도

눈물은 따뜻한 거야

네 미소 1

손톱이라고도 하고
눈썹이라고도 하지만
웃는 입 웃는 눈은 어떨까
일찍 나와 웃어주는 너
밤이면 환히 웃을 너

네 미소 2

미안한 마음뿐이야
아름다운 너의 빛을 두고도
앞차 꽁무니 불빛만 쫓아
고마운 마음뿐이야
무심한 우리를 무심히 챙겨줘서

기웃, 이웃

맛있는 냄새― 아는 냄새…
나도 좀 먹자

하염없이 들여다 보네
움직일 수 없는 신세
하릴없이 들여다 보네

자르고 자라고

잘 자라면
자르고
잘라 내면
자라고

한순간에 관하여

책 몇 장 넘기는 동안
물들었어
결도 달라졌어
한 순간은
단 한순간도 없어

살아지는 기억

문득 발에 치인
어느 날의 기억

기억은 대체로
메마른 채로 살아진다

바스러져도 살아진다

저토록 작은 심(心)으로

누구보다 잘할 수 있어서
하는 건 아니에요

모든 걸 맡기지 마세요

겨우 심은 결심
헐벗게 만들지 마세요

어떤 추락

붙잡고 뛰어내렸는지
짓눌려 떨어진 건지
내막은 알 수 없었지만
한참을 허공에 머물렀다

저녁 뉴스에는 나오지 않았다

비친 빛으로 빚어, 빛진 빛으로 비춰

아침부터 저물녘까지
세상은 해의 빛을 져
생명을 빚어

밤이 되어 달과 금성
우리 대신 빛진 빛으로 하늘을 밝혀

해가 비쳐 우울해(海)

내가 슬퍼서가 아니야
세상이 울고 있어서야
세상이 눈물바다야

지느러미 아닌 날개로는
허우적댈 뿐이야

승강기(昇降記)

이런 승강기가 있을 줄이야

욕망을 실어 나르던 문은 사라져
차가운 비석을 마주 보고 섰는데

승강기(昇降機)가 없어진 자리엔
승강기(昇降記)만 남았다

날지 못하는 나비

담배 연기처럼
날아오르고 싶었을 텐데

힘은 안 드는데
힘만 드는구나

힘차게 도는 프로펠러

추억만(秋億萬)

가을마다
봄 여름 추억이
버려지고
버려도 버려도
매해 쌓이고

먹고사는 문제 아래에서

불타는 두 눈
작지만 야무진 입
비뚤어졌지만
들숨 날숨 문제없을 코
밥 먹고 사는 재미

뭐 하려던 거냥

뭐 하려던 거냥
숨기려던 거냥
찾으려던 거냥

불쾌했던 거냥
겁먹었던 거냥

stretch the scratched mind

Let stretch your back
then a right leg, then a left leg
My mind scratched by somebody
now stretched sweet by you,
lovely kitty

어떤 길도 걷는 동안은 언제나 곧아

멈춰 서서 바라보면
앞에 펼쳐진 길 뒤에 지나온 길
모두 굽어 있지마는
우리가 걷는 동안은
길은 언제나 직선일 뿐이야

사랑초

꽃인 줄 알았어
바람에 흔들리는 줄 알았어

나비인 줄 알았어
날갯짓하는 줄 알았어

정말 사랑을 닮았구나

하늘 기지개

뭐지-게?
구름?
아니 저기—

찌뿌듯하더니
하늘, 기지개

벽

벽이 있어서 멈췄을까
벽이 그를 가로막았을까
벽이 그를 감싸 안았을까
그는 벽을 돌아갔을까
벽 너머로 들어갔을까

따뜻하게 식은 난로

식은 난로 옆
난리법석 강아지들
엄마 품으로

차가운 아침 공기
따뜻하게 덥힌다

살아지는 기억

너만의 정리

정리가 치우기만은 아니겠지
순간순간을 잇는 일도
정리라면 정리겠구나
나가면서, 돌아올 때를 생각하며
정성스레 정리해 놓는 너

30

30 즈음엔
여기만 지나면 시원하게
나아갈 줄 알았어

지금, 40 즈음인데도 난
30을 바라봐

떨어진 것들

눈 위에 낙엽
낙엽 위에 눈
겨울 위에 가을
가을 위에 겨울

정체

정체되는 순간이
정체를 뽐낼 순간일지도 모른다
꽉 막히는 길에서도
환히 웃을 수 있는
대단한 네 정체를 말이다